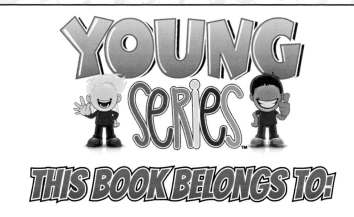

# THIS BOOK BELONGS TO:

_____

**YOUNG SERIES RAD READER**

# YOUNG SUSAN B. ANTHONY

## IN

## "SELFLESS ACTS"

## EL JOVEN SUSAN B. ANTHONY EN ACTOS DESINTERESADOS

### BY LEVI LEYBA

 @LeviLeyba

# ENGLISH ALPHABET

| Aa | Bb | Cc | Dd | Ee | Ff | Gg | Hh | Ii |
|---|---|---|---|---|---|---|---|---|
| [ a ] | [ bee ] | [ cee ] | [ dee ] | [ e ] | [ ef ] | [ gee ] | [ aitch ] | [ i ] |

| Jj | Kk | Ll | Mm | Nn | Oo | Pp | Qq | Rr |
|---|---|---|---|---|---|---|---|---|
| [ jay ] | [ kay ] | [ el ] | [ em ] | [ en ] | [ o ] | [ pee ] | [ cue ] | [ ar ] |

| Ss | Tt | Uu | Vv | Ww | Xx | Yy | Zz |
|---|---|---|---|---|---|---|---|
| [ ess ] | [ tee ] | [ u ] | [ vee ] | [ double-u ] | [ ex ] | [ wy(e) ] | [ zee ] |

# EL ALFABETO ESPAÑOL

Aa Bb Cc CHch Dd Ee Ff Gg Hh Ii

[ ah ] [ beh ] [ seh ] [ cheh ] [ deh ] [ eh ] [ ef-eh ] [ heh ] [ ach-eh ] [ ee ]

Jj Kk Ll LL ll Mm Nn Ññ Oo Pp Qq

[ hota ] [ kah ] [ el-eh ] [ eh-jeh ] [ em-eh ] [ en-eh ] [ en-yeh ] [ oh ] [ peh ] [ cuh ]

Rr RRrr Ss Tt Uu Vv Ww Xx Yy Zz

[ er-eh ] [ e-rreh ] [ es-eh ] [ teh ] [ oo ] [ ve ] [ dob-leh-oo ] [ eh-kis ] [ee-gri-eh-gah] [ se-tah ]

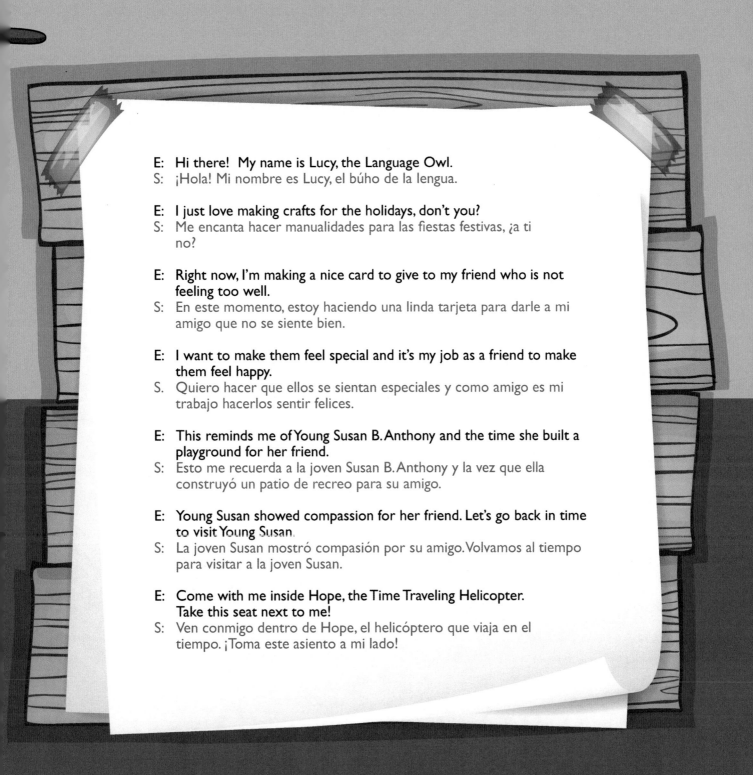

E: Hi there! My name is Lucy, the Language Owl.
S: ¡Hola! Mi nombre es Lucy, el búho de la lengua.

E: I just love making crafts for the holidays, don't you?
S: Me encanta hacer manualidades para las fiestas festivas, ¿a ti no?

E: Right now, I'm making a nice card to give to my friend who is not feeling too well.
S: En este momento, estoy haciendo una linda tarjeta para darle a mi amigo que no se siente bien.

E: I want to make them feel special and it's my job as a friend to make them feel happy.
S. Quiero hacer que ellos se sientan especiales y como amigo es mi trabajo hacerlos sentir felices.

E: This reminds me of Young Susan B. Anthony and the time she built a playground for her friend.
S: Esto me recuerda a la joven Susan B. Anthony y la vez que ella construyó un patio de recreo para su amigo.

E: Young Susan showed compassion for her friend. Let's go back in time to visit Young Susan.
S: La joven Susan mostró compasión por su amigo. Volvamos al tiempo para visitar a la joven Susan.

E: Come with me inside Hope, the Time Traveling Helicopter. Take this seat next to me!
S: Ven conmigo dentro de Hope, el helicóptero que viaja en el tiempo. ¡Toma este asiento a mi lado!

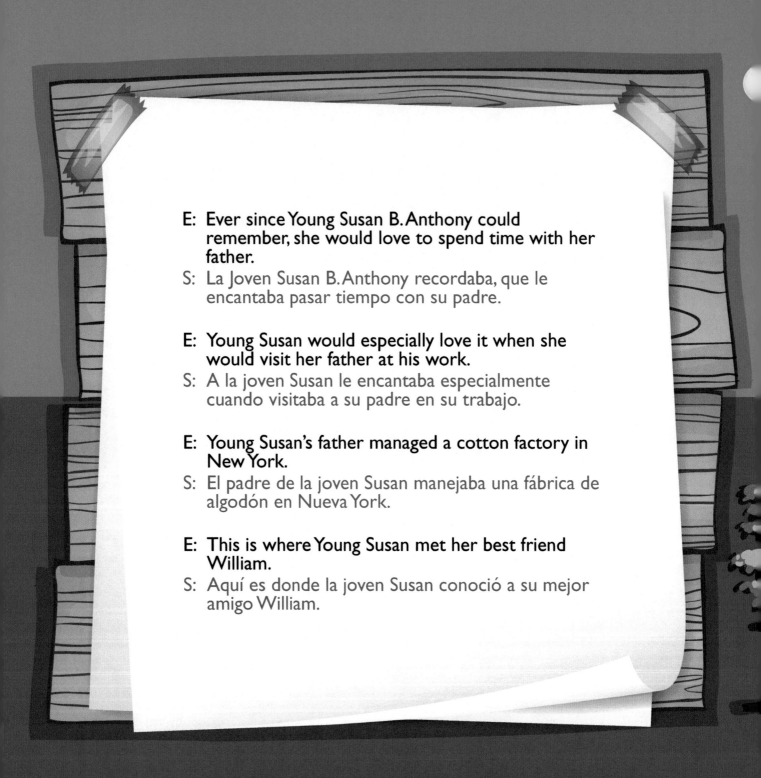

**E:** Ever since Young Susan B. Anthony could remember, she would love to spend time with her father.

**S:** La Joven Susan B. Anthony recordaba, que le encantaba pasar tiempo con su padre.

**E:** Young Susan would especially love it when she would visit her father at his work.

**S:** A la joven Susan le encantaba especialmente cuando visitaba a su padre en su trabajo.

**E:** Young Susan's father managed a cotton factory in New York.

**S:** El padre de la joven Susan manejaba una fábrica de algodón en Nueva York.

**E:** This is where Young Susan met her best friend William.

**S:** Aquí es donde la joven Susan conoció a su mejor amigo William.

E: William's father also worked at the cotton factory.

S: El padre de William también trabajaba en la fábrica de algodón.

E: Young Susan and William shared a lot in common.

S: La joven Susan y William tenían mucho en común.

E: Both liked to play outside, and both like to spend time with their families.

S: A ambos les gusta jugar afuera, y pasar tiempo con sus familias.

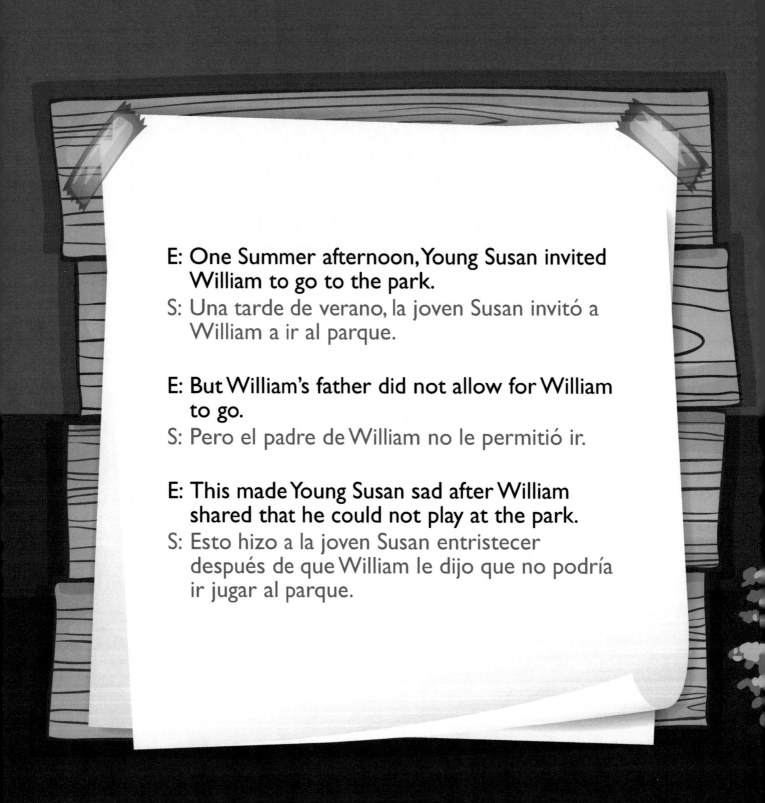

E: One Summer afternoon, Young Susan invited William to go to the park.

S: Una tarde de verano, la joven Susan invitó a William a ir al parque.

E: But William's father did not allow for William to go.

S: Pero el padre de William no le permitió ir.

E: This made Young Susan sad after William shared that he could not play at the park.

S: Esto hizo a la joven Susan entristecer después de que William le dijo que no podría ir jugar al parque.

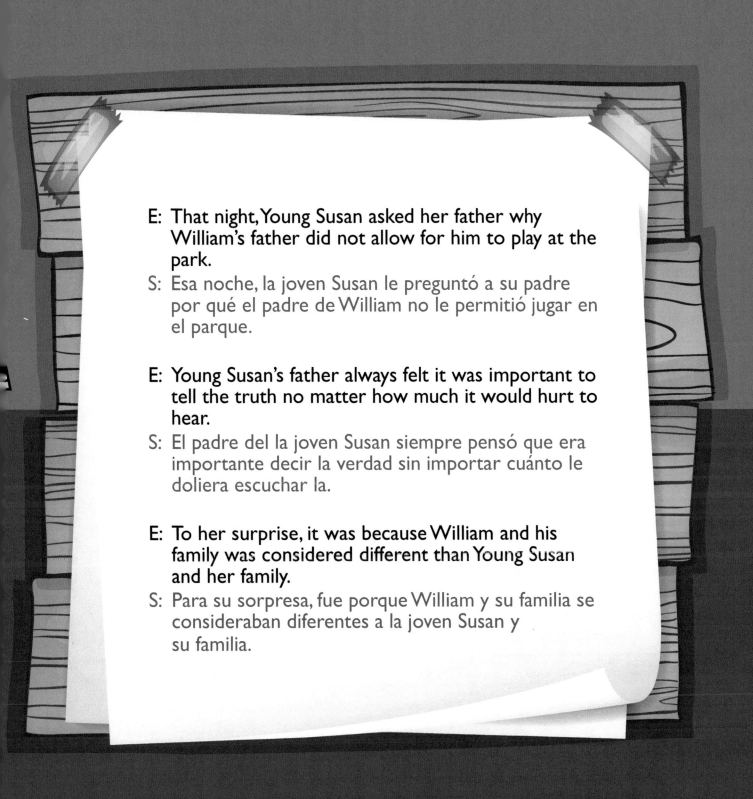

E: That night, Young Susan asked her father why William's father did not allow for him to play at the park.

S: Esa noche, la joven Susan le preguntó a su padre por qué el padre de William no le permitió jugar en el parque.

E: Young Susan's father always felt it was important to tell the truth no matter how much it would hurt to hear.

S: El padre del la joven Susan siempre pensó que era importante decir la verdad sin importar cuánto le doliera escuchar la.

E: To her surprise, it was because William and his family was considered different than Young Susan and her family.

S: Para su sorpresa, fue porque William y su familia se consideraban diferentes a la joven Susan y su familia.

**E:** Young Susan's father explained that in the United States, William was the son of a slave.

**S:** El padre de la joven Susan explicó que en los Estados Unidos, William era el hijo de un esclavo.

**E:** This meant that William did not have the same freedom that Young Susan had.

**S:** Esto significaba que William no tenía la misma libertad que la joven Susan.

**E:** William could not go to the same places that Young Susan could go to because of this.

**S:** Debido a esto William no podía ir a los mismos lugares a los que podría ir la joven Susan.

**E:** And this was why William's father did not allow for him to play at the park.

**S:** Y esta fue la razón por la cual el padre de William no le permitió jugar en el parque.

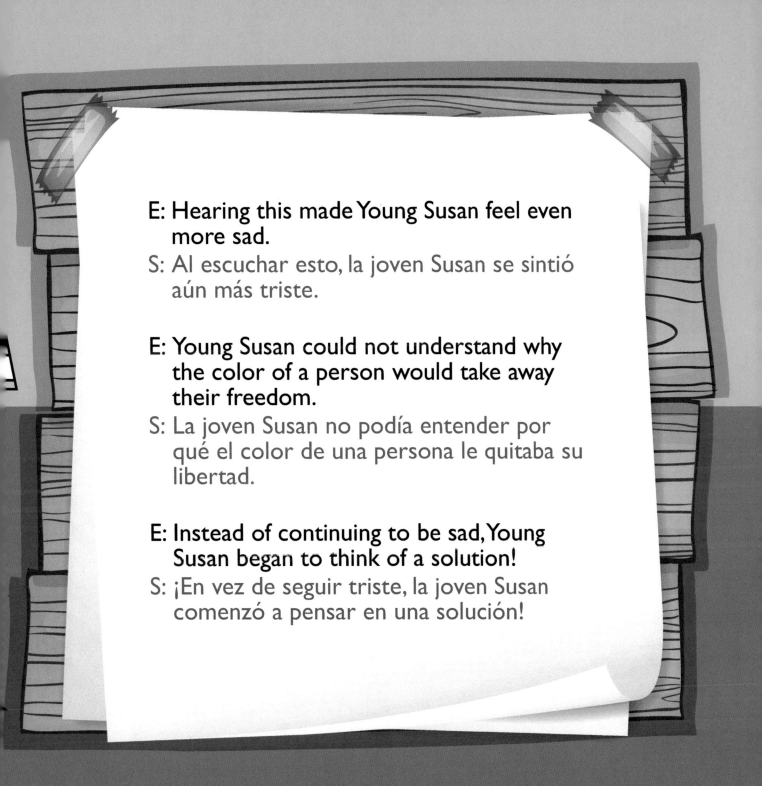

E: Hearing this made Young Susan feel even more sad.

S: Al escuchar esto, la joven Susan se sintió aún más triste.

E: Young Susan could not understand why the color of a person would take away their freedom.

S: La joven Susan no podía entender por qué el color de una persona le quitaba su libertad.

E: Instead of continuing to be sad, Young Susan began to think of a solution!

S: ¡En vez de seguir triste, la joven Susan comenzó a pensar en una solución!

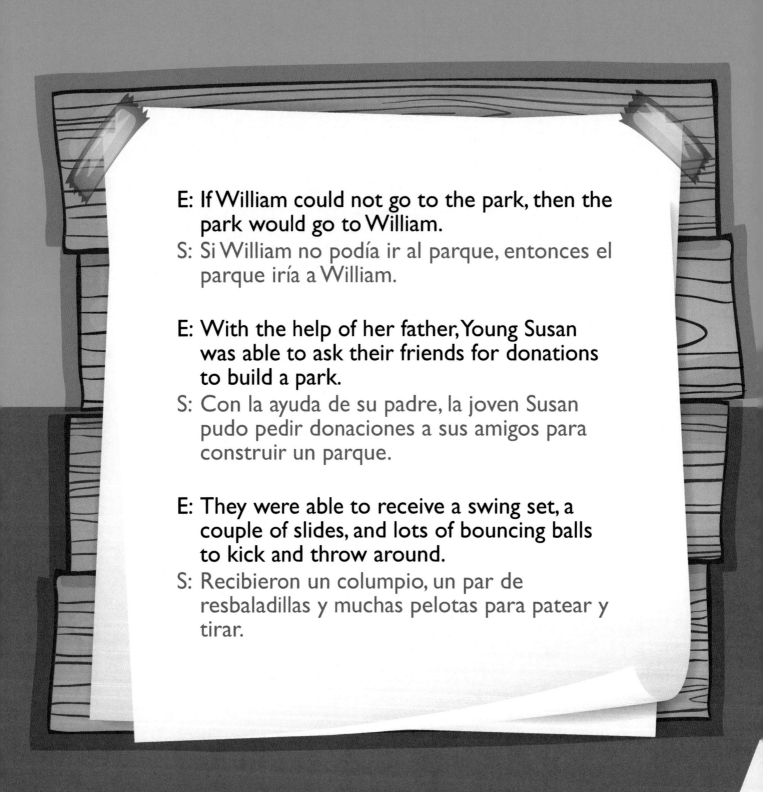

E: If William could not go to the park, then the park would go to William.

S: Si William no podía ir al parque, entonces el parque iría a William.

E: With the help of her father, Young Susan was able to ask their friends for donations to build a park.

S: Con la ayuda de su padre, la joven Susan pudo pedir donaciones a sus amigos para construir un parque.

E: They were able to receive a swing set, a couple of slides, and lots of bouncing balls to kick and throw around.

S: Recibieron un columpio, un par de resbaladillas y muchas pelotas para patear y tirar.

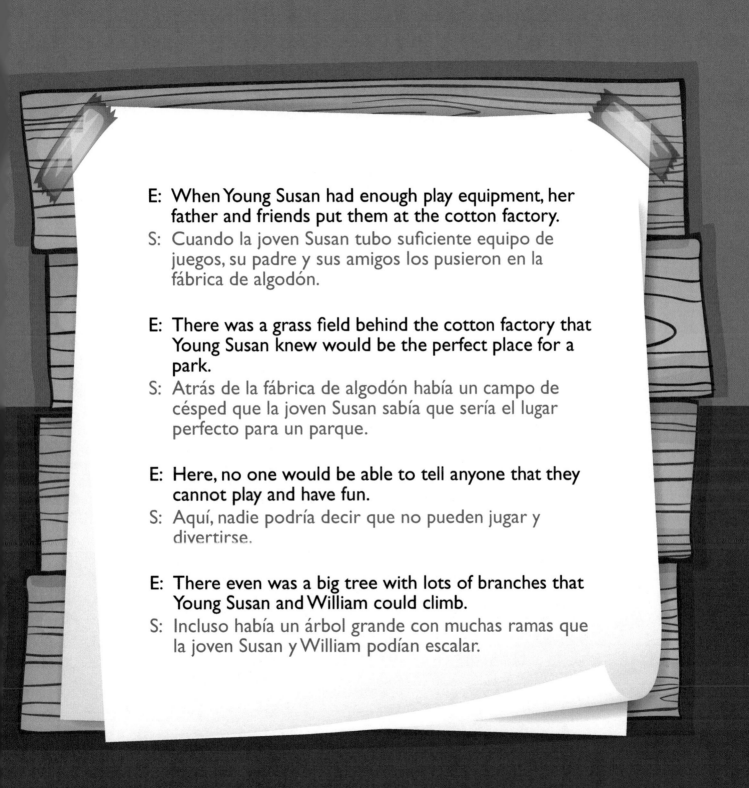

**E:** When Young Susan had enough play equipment, her father and friends put them at the cotton factory.

**S:** Cuando la joven Susan tubo suficiente equipo de juegos, su padre y sus amigos los pusieron en la fábrica de algodón.

**E:** There was a grass field behind the cotton factory that Young Susan knew would be the perfect place for a park.

**S:** Atrás de la fábrica de algodón había un campo de césped que la joven Susan sabía que sería el lugar perfecto para un parque.

**E:** Here, no one would be able to tell anyone that they cannot play and have fun.

**S:** Aquí, nadie podría decir que no pueden jugar y divertirse.

**E:** There even was a big tree with lots of branches that Young Susan and William could climb.

**S:** Incluso había un árbol grande con muchas ramas que la joven Susan y William podían escalar.

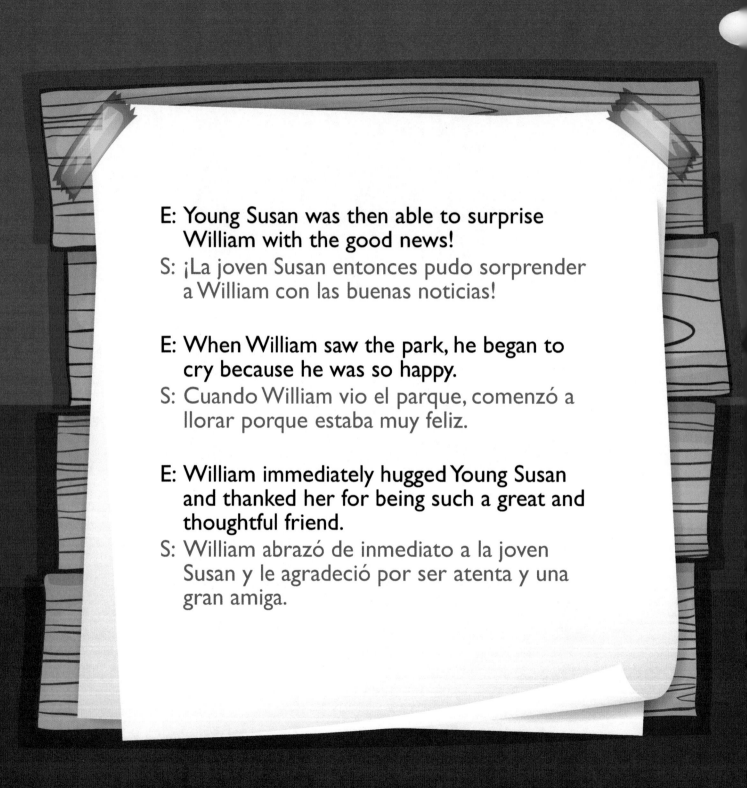

E: Young Susan was then able to surprise William with the good news!

S: ¡La joven Susan entonces pudo sorprender a William con las buenas noticias!

E: When William saw the park, he began to cry because he was so happy.

S: Cuando William vio el parque, comenzó a llorar porque estaba muy feliz.

E: William immediately hugged Young Susan and thanked her for being such a great and thoughtful friend.

S: William abrazó de inmediato a la joven Susan y le agradeció por ser atenta y una gran amiga.

E: Young Susan told William, "Now we can play together at the park!"

S: La joven Susan le dijo a William: "¡Ahora podemos jugar juntos en el parque!"

E: "And I promise you William, when I get older, I will fight for your right to be free!"

S: "Y te prometo William, que cuando sea mayor, lucharé por tu derecho de ser libre".

E: After a smile from William, he tagged Young Susan and said, "Tag, you're it!"

S: Después de una sonrisa de William, al instante iniciaron el juego "¡Tú las traes!"

E: And they played all afternoon until the sun went down.

S: Y jugaron toda la tarde hasta que el sol se puso.

**The End** / El Fin

# CHECK OUT
## Our Bilingual Series

**YOUNG BENJAMIN FRANKLIN**
IN
"CURIOUS BENJAMIN"

EL JOVEN BENJAMIN FRANKLIN
EN CURIOSO BENJAMIN

WRITTEN & ILLUSTRATED BY LEVI LEYBA

YOUNG SERIES · BILINGUAL

**YOUNG ABRAHAM LINCOLN**
IN
"BIRTHDAY WISHES"

EL JOVEN ABRAHAM LINCOLN
EN DESEOS DE CUMPLEAÑOS

WRITTEN & ILLUSTRATED BY LEVI LEYBA

YOUNG SERIES · BILINGUAL

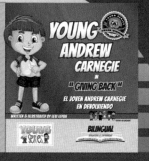

**YOUNG ANDREW CARNEGIE**
IN
"GIVING BACK"

EL JOVEN ANDREW CARNEGIE
EN DEVOLVIENDO

WRITTEN & ILLUSTRATED BY LEVI LEYBA

YOUNG SERIES · BILINGUAL

**YOUNG JOHN D. ROCKEFELLER**
IN
"SMART SAVER"

EL JOVEN JOHN D. ROCKEFELLER
EN AHORRANDO INTELIGENTEMENTE

WRITTEN & ILLUSTRATED BY LEVI LEYBA

YOUNG SERIES · BILINGUAL

**YOUNG SUSAN B. ANTHONY**
IN
"SELFLESS ACTS"

YOUNG SUSAN B. ANTHONY
EN ACTOS DESINTERESADOS

WRITTEN & ILLUSTRATED BY LEVI LEYBA

YOUNG SERIES · BILINGUAL

**YOUNG ROSA PARKS**
IN
"SPEAK UP"

EL JOVEN ROSA PARKS
EN ALZANDO LA VOZ

WRITTEN & ILLUSTRATED BY LEVI LEYBA

YOUNG SERIES · BILINGUAL

**YOUNG FRIDA KAHLO**
IN
"POSITIVE ENERGY"

EL JOVEN FRIDA KAHLO
EN ENERGIA POSITIVA

WRITTEN & ILLUSTRATED BY LEVI LEYBA

YOUNG SERIES · BILINGUAL

**YOUNG AMELIA EARHART**
IN
"NO LIMITS"

EL JOVEN AMELIA EARHART
EN SIN LIMITES

WRITTEN & ILLUSTRATED BY LEVI LEYBA

YOUNG SERIES · BILINGUAL

## Available at:
## amazon    YOUNGSERIES.COM